Danuta Wawiłow

**Człowiek ze złotym parasolem**



Ilustracje:
Anna Pawlina

Projekt okładki:
Mateusz Tajsich

Korekta:
Lidia Kowalczyk, Joanna Pijewska

**Wydanie I**

**ISBN 978-83-7672-179-8**

Wydawnictwo **Literatura**, Łódź 2013
91-334 Łódź, ul. Srebrna 41
handlowy@wyd-literatura.com.pl
tel. (42) 630 23 81
faks (42) 632 30 24
www.wyd-literatura.com.pl

Druk i oprawa: Rzeszowskie Zakłady Graficzne S. A.

*Danuta Wawiłow*

# *Człowiek ze złotym parasolem*

Człowiek ze
złotym parasolem

Żółtą drogą, zielonym polem
pewien człowiek szedł z parasolem.
I uśmiechał się mimo słoty,
bo parasol był cały złoty,
coś tam śpiewał, bzykał jak mucha,
śmieszne bajki plótł mu do ucha...
I ten deszcz tak padał i padał,
a parasol gadał i gadał,
a ten człowiek mu odpowiadał.
I okropnie byli weseli,
choć się wcale nie rozumieli,
bo ten człowiek gadał po polsku,
a parasol – po parasolsku...

# Wiatr

Jak jest wiatr,
wielki wiatr,
to opada z drzewa kwiat,
jakby sypał biały grad,
jak jest wiatr...

Jak jest wiatr,
wielki wiatr,
to jest smutny cały świat.
Drzewa szumią sobie w głos,
niby gniazda czarnych os,
jak jest wiatr...

Wieje wiatr,
wielki wiatr,
będzie wiał tak tysiąc lat...
Bardzo smutny jest mój los,
smutne oczy, smutny nos,
jak jest wiatr...

# Moja tajemnica

Chciałabym być sową,
chciałabym być sową
z żółtymi oczami,
miękkimi skrzydłami
i okrągłą głową.

W nocy bym latała,
wszystko bym widziała,
nikomu bym o tym,
nikomu bym o tym
nic nie powiedziała.

Jak ta czarownica
przy świetle księżyca...
To by była taka,
to by była taka
moja tajemnica.

# Dzieci w lesie

Zdarzyło się przed laty –
tak wieść prastara niesie –
że dwoje małych dzieci
zbłądziło w ciemnym lesie.
Nie mówiąc nic nikomu,
po prostu wyszły z domu,
uciekły po kryjomu
i zabłądziły w lesie.

A kiedy noc zapadła
i księżyc zaczął świecić,
to bały się okropnie
te biedne małe dzieci.
I nóżki je bolały,
więc siadły i płakały
te biedne małe dzieci,
co zabłądziły w lesie.

I bały się puchacza,
co w czarnej dziupli siedział,
i strasznej Baby-Jagi,
i wilka, i niedźwiedzia.
Wołały i płakały,
do domu wrócić chciały
te biedne małe dzieci,
co zabłądziły w lesie.

I przyleciała sowa
na swoich skrzydłach miękkich,
przykryła je listkami,
śpiewała im piosenki.
Słuchając jej piosenki,
na mchu usnęły miękkim
te biedne małe dzieci,
co zabłądziły w lesie.

A rano w dużym kubku
przyniosła im herbaty
i pokazała drogę
do mamy i do taty.
I pożegnały sowę,
i wyruszyły w drogę,
i nigdy, nigdy więcej
nie zabłądziły w lesie.

# Drzewo

Stoi czarne drzewo
w jesiennym ogrodzie.
Patrzę na nie co dzień.

Latem miało drzewo
zieloną koronę,
na ramionach ptaki
żółte i czerwone.
Ręce wyciągało,
nieba dosięgało
i śmiało się, śmiało...

Teraz stoi smutne,
chłoszcze je ulewa.
Żal mi tego drzewa.

Odleciały ptaki
tam, gdzie nie ma zimy.
Odleciały liście
za nimi, za nimi.
Odleciały kwiaty,
porwał je ze sobą
wicher lodowaty.

Żal mi tego drzewa.
Teraz stoi smutne,
nikt mu nie zaśpiewa.

Pobiegnę do niego,
wdrapię się na gałąź
i będę mu śpiewał,
a drzewo, a drzewo
będzie mnie słuchało.

Zaśnij, drzewo, zaśnij.
Jutro będzie jaśniej.
Jutro będzie ładnie.
Śnieg na ziemię spadnie.

Będziesz sobie spało,
ubrane na biało,
śniegiem otulone,
a jak się obudzisz,
znowu będziesz miało
zieloną koronę.

# Lato

Daj mi rękę, mamusiu,
pójdziemy na rosę!
Trawa będzie zielona,
my będziemy bose.
Drzewa będą zielone,
góry będą zielone,
chmury będą zielone,
wielkie i puchate!
Domy będą zielone,
dymy będą zielone...
Wiesz, dlaczego zielone?
Bo to będzie lato!

# Świnka

Chwaliła świnka
swojego synka:
– Jaki milutki!
Jaki śliczniutki!
Różowe uszki!
Króciutkie nóżki!
Wesoła minka!
Bura szczecinka!
A jaki ryjek!
A jaki brzuszek!
Ach, mój brudasek!
Ach, mój świntuszek!

# Kałużyści

Już od rana na podwórzu,
wśród patyków i wśród liści,
przykucnęli przed kałużą
pracowici kałużyści.
Wygrzebują brud z kałuży,
niech kałuża będzie czysta!
Pełne ręce ma roboty
każdy dzielny kałużysta!
Rękawiczką i chusteczką
dwóch błocistów chodnik czyści.
Obrzucają się szyszkami
bardzo dzielni szyszkowiści.
Dwie kocistki pod ławeczką
cukierkami karmią kota...

Świątek, piątek czy niedziela,
na podwórku wre robota!

# Urodzinki

Tak bym chciała, tak bym chciała,
żeby były urodzinki!
U chłopczyka czy dziewczynki,
u kucyka czy sardynki –
wszystko jedno, wszystko jedno,
byle były urodzinki!

Żeby było dużo gości,
i Mateusz, i Grażynka,
dla każdego moc pyszności,
wszystkie stoły w upominkach,
na tych cudnych, na nienudnych,
na wesołych urodzinkach!

A jak zjemy wszystkie kremy,
czekoladę i rodzynki,
upominki rozwiniemy,
upaćkamy się jak świnki,
to z radości podskoczymy
i powiemy do rodzinki:
– Niech żyjecie, niech żyjemy
i niech żyją urodzinki.

# Moja siostra królewna

Moja siostra królewna
ma z papieru koronę
i ma długie warkocze,
i ma oczy zielone
moja siostra królewna.

Moja siostra królewna
jest najlepsza na świecie,
kiedy bajki mi czyta
albo gra mi na flecie
moja siostra królewna.

A jak stoi przed lustrem
i mnie wcale nie słucha,
wtedy mówię jej na złość,
że jest wstrętna ropucha,
a nie żadna królewna.

Jak ją rąbnę niechcący,
zaraz leci do mamy,
ale to jest nieważne,
bo i tak się kochamy
z moją siostrą królewną.

Rano idzie do szkoły
w swym czerwonym berecie
i z tornistrem na plecach,
a wy wcale nie wiecie,
że to idzie królewna...

M M

# Marysia i Miś

Marysia miała Misia,
a Misio miał Marysię.
Marysia miała piegi
i dwa ogonki mysie.

A Misio był brązowy
i gruby był troszeczkę,
i biegał za Marysią
do parku i nad rzeczkę.

I razem się bawili,
i razem jedli kisiel –
ze swą Marysią Misio,
Marysia ze swym Misiem.

Pytali wokół wszyscy –
Kacperek, Piotr i Zocha –
dlaczego tak okropnie
ten Miś Marysię kocha?

To sprawa bardzo prosta,
wiadomo nie od dzisiaj –
że kocha Miś Marysię,
bo kocha go Marysia.

# A jak będę dorosła

Jak mi ręce urosną,
jak mi nogi urosną,
jak już będę dorosła
i wysoka jak sosna,
to zostanę, zostanę, zostanę... no, kim?
To na pewno zostanę lekarzem!
Przyjdę w białym fartuchu,
mamię zajrzę do ucha,
tatę klepnę po brzuchu,
powiem: – Trzymaj się, zuchu! –
i zapiszę, zapiszę, zapiszę... no, co?
I zapiszę paskudne lekarstwo!
Co mi płacze i krzyki!
Będę robić zastrzyki!

Będę strasznie się trudzić!
A gdy już mi się znudzi,
to zostanę, zostanę, zostanę... no, kim?
To zostanę okrutnym piratem!
Nie posłucham się taty,
będę strzelać z armaty!
Będę w workach pękatych
przechowywać dukaty!
Będę straszną mieć brodę i pistolet, i co?
I piracką przepaskę na oku!
Co mi wiatry i burze!
Mogą trwać jak najdłużej!
Niechaj żyją podróże!
A jak nimi się znużę,
to pojadę, pojadę, pojadę... no, gdzie?
To pojadę z powrotem do mamy!

# Spacerek

Wieczór błękitną chmurką
sfrunął na moje biurko.
Rzucę do kąta pracę,
pójdę na spacer z córką.
A córka jak to córka –
zbiera gołębie piórka,
trzyma mnie mocno za rękę,
śpiewa wesołą piosenkę.
I razem sobie zmyślamy
różne bajeczki i bzdurki –
córka dla swojej mamy,
mama dla swojej córki.
Mrugają do nas reklamy,
w liściach szeleści wiaterek
i szepce córka do mamy:
– Ach, jaki cudny spacerek!
A księżyc strzyże uszami
i słucha nas po kryjomu,
i biegnie, biegnie za nami
aż do samego domu.

# Pożałuj mnie

Jak się będziesz gniewać na mnie,
to ołówki ci połamię,
słonia ci nie narysuję
i pałacu nie zbuduję!
Z kuchni wezmę ci zapałki,
potnę obrus na kawałki,
będę płakać coraz gorzej,
aż napłaczę całe morze
i ci wszystkie książki zmokną,
i wyrzucę cię za okno!

Albo zaraz mnie pożałuj...
Albo zaraz mnie pocałuj!...

# Na wystawie

Idę z mamą na wystawę!
To dopiero jest ciekawe!
Piękny pałac, wielka brama...
– To muzeum! – mówi mama.
Nie widziałem ani razu
tylu ludzi i obrazów.
Samych sal ze sto tysięcy,
a obrazów jeszcze więcej!
Co tu jest namalowane?
Czy to człowiek? Czy to dzbanek?
A tu jakaś dziwna plama...
– Piękny obraz – mówi mama.
A tu gruby pan z gitarą,
co ma wąsy jak makaron...
Jakieś konie depczą ludzi...
Trochę mi się tutaj nudzi.
Mamo, chodź tu! Mamo, zobacz!
To dopiero piękny obraz!
Kwitną kwiaty, słońce świeci,
na ławeczce siedzą dzieci...
Tylko taka brzydka rama...
– To jest okno – mówi mama.

# Nie Wiem Kto

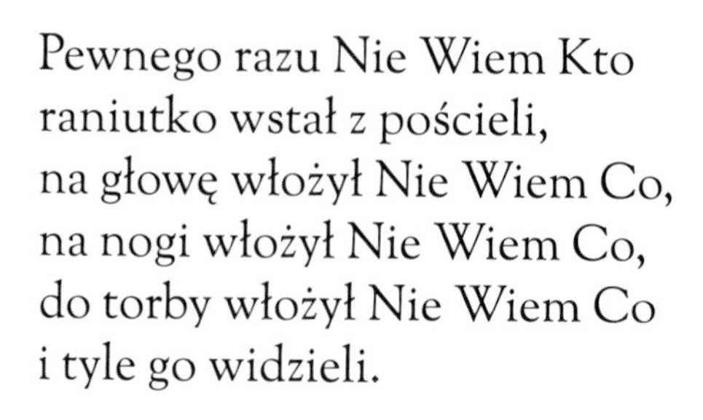

Pewnego razu Nie Wiem Kto
raniutko wstał z pościeli,
na głowę włożył Nie Wiem Co,
na nogi włożył Nie Wiem Co,
do torby włożył Nie Wiem Co
i tyle go widzieli.

I wcale mu nie było źle,
gdy tak się włóczył Nie Wiem Gdzie,
na słońcu, w deszczu, w cieniu –
obiady jadał albo nie,
odpocząć siadał albo nie
i wcale tym nie martwił się,
i grywał na grzebieniu...

I od tej pory Nie Wiem Jak
odnaleźć go na świecie...
I nie wie ryba ani rak,
i nie wie zwierzę ani ptak,
i pewnie wy nie wiecie!

# Szybko!

Szybko, zbudź się, szybko, wstawaj!
Szybko, szybko, stygnie kawa!
Szybko, zęby myj i ręce!
Szybko, światło gaś w łazience!
Szybko, tata na nas czeka!
Szybko, tramwaj nam ucieka!
Szybko, szybko, bez hałasu!
Szybko, szybko, nie ma czasu!

Na nic nigdy nie ma czasu...

A ja chciałbym przez kałuże
iść godzinę albo dłużej,
trzy godziny lizać lody,
gapić się na samochody
i na deszcz, co leci z góry,
i na żaby, i na chmury,
albo z błota lepić kule
i nie spieszyć się w ogóle...

Chciałbym wszystko robić wolno,
ale mi nie wolno...

# Dziwna bajeczka

Opowiem ci bajeczkę,
a może nie bajeczkę,
a może nie opowiem,
bo strasznie jestem śpiąca.
Pamiętam ją od dziecka,
a może nie od dziecka,
a może nie pamiętam,
więc zacznę ją od końca.

(To znaczy, przepraszam, od początku!)

Raz w pewnym bardzo ślicznym
ogrodzie botanicznym –
oj, nie, w zoologicznym! –
żył sobie kto?
Ślimaczek!
Lub tygrys!
Lub też raczej
nieduży szopek praczek!
A może aligator…

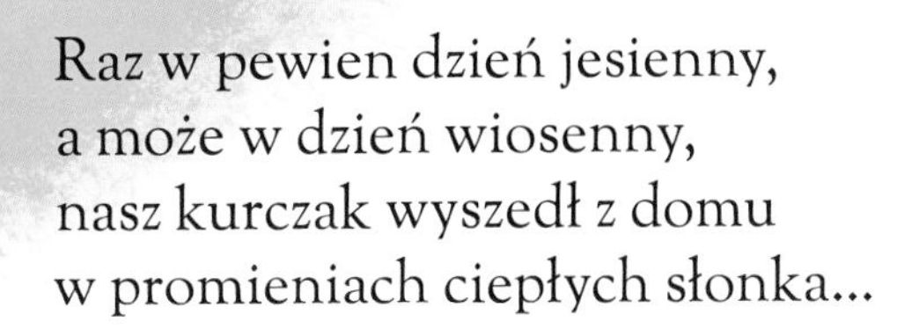

Raz w pewien dzień jesienny,
a może w dzień wiosenny,
nasz kurczak wyszedł z domu
w promieniach ciepłych słonka...

(zresztą, niewykluczone,
że właśnie padał deszcz!)

i najpierw wlazł na drzewo,
a potem poszedł w prawo,
a potem poszedł w lewo
i w końcu się zabłąkał.

Aż pewien młody wielbłąd,
a może stary wielbłąd,
zobaczył szopka praczka,
co we łzach tonął cały,
i rzekł:
– Zgubiłeś drogę?
No tak, zgubiłeś drogę!
To nic, ja ci pomogę,
więc nie rycz już, mój mały!

(Albo „nie wyj", albo „nie kwicz",
albo „nie piszcz"
– co wam się bardziej podoba.)

Czy mieszkasz w tym basenie?
– Na pewno w tym basenie!
A może nie w basenie...
A może... eee... na drzewie...
– Czy to jest twoja klatka?
– Tak, to jest moja klatka!
A może inna klatka...
A zresztą sam już nie wiem!

Tak cały dzień biegali
i całą noc biegali
po dróżkach i alejkach,
pod deszczem i na słońcu,
aż domek nieboraczka,
tygryska czy prosiaczka

(ale na pewno nie ślimaczka,
bo ślimaczek nosi swój dom na plecach
i na pewno by go nie zgubił),

znaleźli koniec końców!

A w domu mama z tatą,
szczęśliwi i przejęci,
porwali wnet w objęcia
niegrzeczną swą córeczkę.

(Przepraszam, zapomniałam,
że to był synek!)

Troszeczkę się pośmiali,
troszeczkę popłakali,
troszeczkę mu przylali –
a może nie troszeczkę.

I odtąd nasz zwierzaczek,
tygrysek czy prosiaczek,
a może szopek praczek,
sprawuje się wzorowo.
Sam zaraz ci to powie,
a może ci nie powie,
a może innym razem,
bo przepadł gdzieś na nowo.

(I wszyscy go szukają,
i mama płacze,
i tata się złości,
i nikt nie wie,
gdzie on jest.
A może ty wiesz?)

# Jesienią

Co będę robił
jesienią,
kiedy liście się
zaczerwienią,
kiedy groźnie powieją
wichury?

Będę patrzył przez okno
na chmury,
będę słuchał, jak szumi
deszcz
i może
wymyślę wiersz:

ZA GÓRAMI,
ZA LASAMI
MIESZKAŁ KOTEK
ZAMIAUKANY.

# Taki wielki pies

Za tym domem stoi buda
i w tej budzie jest –
tylko nie bój się, tatusiu!,
tylko nie bój się, tatusiu! –
taki wielki pies.

Ma czerwony wielki jęzor
i ogromne kły –
tylko nie bój się, tatusiu!,
tylko nie bój się, tatusiu! –
i jest strasznie zły!

Tylko nie bój się, tatusiu,
przecież jest nas dwóch!

..............................

Widzisz, nawet nie zaszczekał!
Taki wielki, a ucieka!
Ale z ciebie zuch, tatusiu!
Ale z nas jest zuch!

# Strzygi

Kiedy jesień się na dobre
zaczyna,
kiedy w polu czerwienieje
jarzębina,
kiedy liście pędzą z wiatrem
na wyścigi,
z ciemnych dziupli wykradają się
strzygi.
Idą boso na rozstajne
drogi,
w szare włosy wplatać ciernie
i głogi,
w strugach deszczu nad dachami
przelatać,
śpiącym koniom senne grzywy
zaplatać.
Czasem myślisz –
to puchają puchacze,
a to strzyga
na rozstajach płacze.
Czasem myślisz –
wiatr zawodzi w drzewach,
a to strzyga
na rozstajach śpiewa.
Czasem myślisz –
co tam w deszczu śmiga?
A to strzyga, mój mały,
to strzyga...

# Morze

Siedziały dzieciaki
na dworze
i kłóciły się,
jakie jest morze.
Kuba powiedział,
że słone,
a Jędrek,
że nie,
bo zielone.
A Baśka,
że są w nim meduzy
i okręt –
o, taki duży,
i jeszcze raki w skorupie,
a Bartek,
że dziewczyny są głupie,
i jeszcze Paweł powiedział,
że jak się położyć nad morzem
i machać rękami,
i machać nogami,
to na piasku zrobi się
orzeł.

Poproszę tatę –
może
pojedzie ze mną
nad morze?

# Niegrzeczna dziewczynka

Była raz sobie dziewczynka
w Krakowie, a może w Łodzi,
miała dwie ręce, dwie nogi
i uszu coś koło tego,
i kiedy była grzeczna,
to grzeczna była nad podziw,
a kiedy była niegrzeczna,
to tak, że coś okropnego.

Więc kiedy była grzeczna,
to myła buzię i ręce
i wychodziła na spacer
śliczna jak kwiatek róży,
a kiedy była niegrzeczna,
szła spać w najlepszej sukience,
goła biegała po mieście
albo pływała w kałuży.

I kiedy była grzeczna,
mówiła „słucham" i „proszę"
i z wielkim smakiem zjadała
nawet kożuchy na mleku,
a kiedy była niegrzeczna,
to palcem dłubała w nosie
i uciekała od mamy
naprawdę bardzo daleko.

Raz, kiedy była grzeczna,
to nawet sama królowa
dała jej złoty medal
i dwa miodowe pierniki,
a raz, gdy była niegrzeczna,
to tata wziął i zwariował
i uciekł z mamą na biegun,
a potem aż do Afryki.

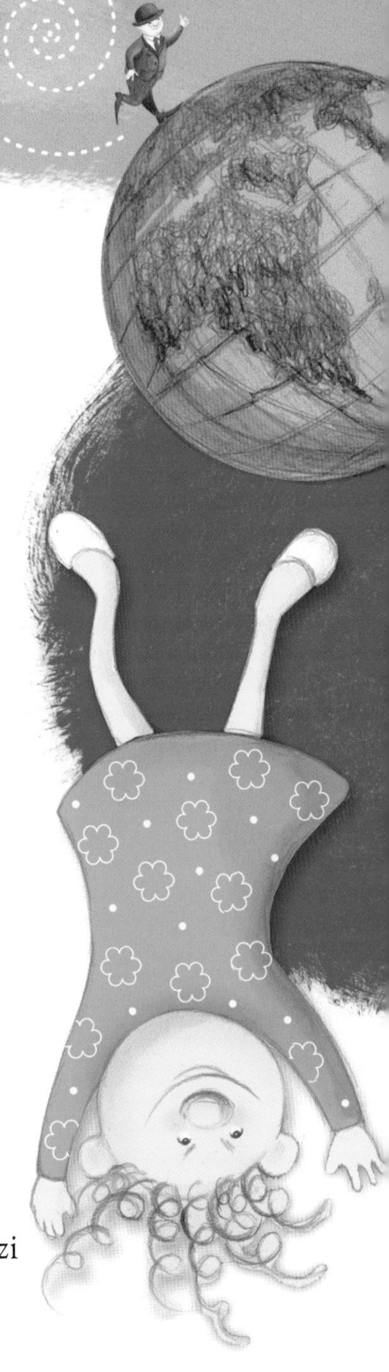

I gdy ich ludzie pytali,
co jest powodem ucieczki,
i gdy ich ludzie pytali:
– Czemuście tak zrobili? –
to rzekli tata i mama,
że boją się swej córeczki
bardziej niż białych niedźwiedzi
i stada złych krokodyli.

# Czarny lew

Posłuchaj –
kiedyś, kiedyś, kiedyś, kiedyś raz
był sobie
czarny, czarny, czarny, czarny las,
a w nim
wśród czarnych, czarnych, czarnych,
czarnych drzew
żył sobie
czarny, czarny, czarny, czarny lew.
Jak czarna fala
była grzywa tego lwa,
a jego oczy
jak płomienie czarne dwa,
a kiedy stąpał
po grzebieniach czarnych skał,
to nawet groźny słoń
na widok jego drżał,
a gdy na ziemię
padał czarny jego cień,
za czarne chmury
przerażony krył się dzień
i gasło słońce,
i ucichał ptaków śpiew...

Lecz tak naprawdę
to był BARDZO DOBRY LEW.
I pewnej nocy –
możesz wierzyć albo nie,
być może czarny lew
odwiedzi cię we śnie
i głowę skłoni,
byś na grzbiecie jego siadł,
i pomknie z tobą
przez uśpiony nocny świat,
ponad lasami
i dachami śpiących miast,
ponad chmurami,
tam gdzie roje sennych gwiazd,
gdzie cały w blasku
księżycowy stoi las...

# W parku

Leżę sobie w parku
na trawie.
Leżę sobie w mieście
Warszawie.

Ważka mi usiadła
na dłoni.
Dzwonią gdzieś nad Wisłą
tramwaje.
Leci w górze biały
szybowiec,
widzi różne miasta
i kraje.

W trawie są biedronki
i mlecze.
Leżę sobie w Polsce,
na świecie.

Leżę pod drzewami
wielkimi,
leżę pod chmurami
wielkimi,
mały jak maleńkie
ziarenko,
na planecie mojej,
na Ziemi.

Na planecie mojej,
na Ziemi,
płynę pośród gwiezdnej
przestrzeni.

# Znicze

Na Marszałkowskiej,
na Kanonicznej
palą się znicze.

Na Ogrodowej,
Sadowej,
Wilczej
palą się znicze.

Kwitną zniczami
ciemne chodniki.
Jesienne kwiaty,
błędne ogniki,
palą się znicze.

Dziesiątki,
setki,
tysiące zniczy.
Nikt ich nie zliczy.

Od żywej ziemi,
od ciepłej ziemi,
dla tych, co w ogniu
dla niej płonęli,
tych, co zginęli
w mroku i dymie
i nie wiesz nawet,
jak im na imię.

Palą się znicze.

A oni w trawie
śpią pośród miasta.
Każdemu z serca
drzewo wyrasta.
A w drzewach ptaki
uwiły gniazda.
A w górze niebo.
A w niebie gwiazda.

Palą się znicze.

Przechodzą ludzie,
schylają głowy.
Wśród żółtych liści
listopadowych
palą się znicze.

# Dom na rzece

To mój przyjaciel Tom.
Ma bardzo ładny dom,
zielony płot i dach,
ogródek cały w bzach.
Lecz siedząc sobie w nim,
zazdrości mi,
aż strach.

Bo ja swój dom
na wodzie mam,
dziś jestem tu,
a jutro tam.
Codziennie płynę
inną z rzek,
coraz to nowy
widzę brzeg.
Wciąż w nowym miejscu
budzę się –
dziś tu,
a jutro
nie wiem gdzie.
A Tom, gdy budzi się
co dnia,
ten sam wciąż widok
w oknie ma.

# Strasznie ważna rzecz

Mama, przestań zmiatać śmiecie!
Chcę powiedzieć ci w sekrecie
strasznie ważną rzecz:
były sobie dobre wróż...
jedna miała krótkie nóż...
druga miała dwie papuż...
i wielgachny miecz!

Mama, nie pisz, tylko słuchaj!
Zaraz powiem ci do ucha
strasznie ważną rzecz:
była sobie wielka much...
raz urwała się z łańcuch...
zjadła tacie pół kożuch...
i uciekła precz!

Mama, już się nie złość na mnie!
Słowo daję, ja nie kłamię!
Będę bardzo grzecz...
Mama, ja cię bardzo kocham!
Nie żartuję ani trochę!
Przecież jak się kogoś kocha,
to jest ważna rzecz!

# Ziemniaczana zabawa

Oj, nie zgadniecie!
Powiem wam sama,
co dziś do domu
przyniosła mama.
Nie oranżadę,
nie czekoladki,
tylko ziemniaki
w koszyku w kwiatki.
Patrzymy na nie
z bratem malutkim...

To nie ziemniaki!
To takie ludki!
Pan ziemniaczany
z nosem jak guzik,
mała dziewczynka
z dołkiem na buzi,
świnka, kominiarz,
bałwan śniegowy
i hipopotam,
ale bez głowy...
Skaczą po stole
i tańczą wkoło,
i już się w kuchni
robi wesoło.
To ci zabawa!
Lepsza niż w parku!
Szkoda, że zaraz
skończy się w garnku!

# Wędrówka

Pewnego dnia
wyjdę z domu o świcie,
tak cicho,
że nawet się nie zbudzicie.
I pójdę,
i będę wędrować po świecie,
i nigdy mnie nie znajdziecie.

I nie wezmę ze sobą nikogo,
tylko tego małego chłopaka,
co wczoraj na schodach płakał
i bał się wrócić do domu,
a dlaczego –
to tego
nie chciał powiedzieć nikomu.

I jeszcze weźmiemy ze sobą
tego czarnego kotka,
co miauczy zmarznięty na progu
i każdy odpycha go nogą,
i nie chce go wpuścić do środka.
I to nie obchodzi nikogo,
że on tak płacze na progu.

I jeszcze weźmiemy ze sobą
te dwa uschnięte drzewa,
co stoją przed naszym domem,
te dwa uschnięte drzewa,
co nigdy nie były zielone
i chciałyby uciec do lasu
od kurzu
i od hałasu,
i żeby ptak na nich usiadł,
i żeby im zaśpiewał.

I będziemy tak szli i szli
drogami, lasami, polami,
i każdy dzieciak,
i każdy pies
będzie mógł iść razem z nami.

I będziemy tak szli i szli
przez wsie, przez miasta, przez góry,
przez morza, przez gwiazdy, przez chmury,
aż kiedyś,
po latach wielu,
staniemy wreszcie u celu.

I będzie tam ciepła ziemia
i dużo, dużo nieba,
i każdy
będzie miał to,
czego najbardziej mu trzeba.

I na zielonej trawie
różne zwierzęta
będą się z nami bawić
w berka i chowanego.
I nikt nikogo
nie będzie się bać.
I nikt z nikogo
nie będzie się śmiać.
I każdy
będzie rozumiał każdego.

I będzie wspaniale!
Tak!
I niczego
nie będzie nam brak!
I tęsknić nie będę wcale!
I tylko czasami, czasami
pomyślę,
że byłoby dobrze,
gdybyście wy
byli z nami...

# Marcinek

Czy widzieliście Marcinka?
Czy widzieliście Marcinka?
Szuka mama, szuka tata,
szuka cała go rodzinka!

Może uciekł do Afryki?
Może wybrał się za morze?
Może zjadł go tygrys dziki
albo porwał górski orzeł?

Może siedzi w zimnym lochu,
gdzie go strzeże smok zaklęty?
Może błądzi w ciemnym lesie
przemoczony i zmarznięty?

Może gdzieś tam za morzami
walczy dzielnie z piratami?

Jest Marcinek!!!
Śpi Marcinek
na dnie szafy
pod paltami!

# Jak tu ciemno!

Jak tu ciemno!
Jak tu ciemno!
Mama, mama,
posiedź ze mną!

Za firanką ktoś się chowa,
czarne skrzydła ma jak sowa.
Popatrz, popatrz, tam wysoko
świeci w mroku jego oko!
Czy on tutaj nie przyleci?
Czy on nie je małych dzieci?

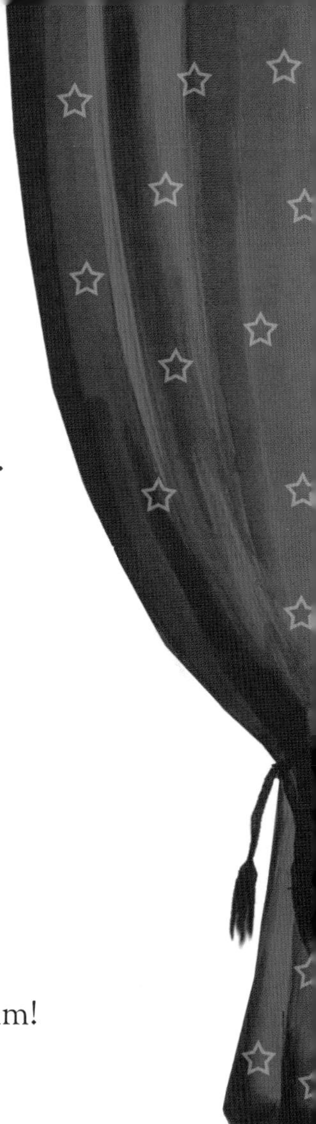

Jak tu ciemno!
Jak tu ciemno!
Tata, tata,
posiedź ze mną!

Tam za oknem wiatr się gniewa,
krzyczy, gwiżdże, szarpie drzewa.
A jak ścicha, zaraz słychać,
jak coś w rurze głośno wzdycha.
Czy to coś, co mieszka w rurze,
to jest małe? Albo duże?
Tata, może to jest mysz?
Tata, śpisz?

Jak tu ciemno!
Jak tu ciemno!
Kto posiedzi
teraz ze mną?

Wiem! Pod kołdrę głowę schowam!
Będę dziuplę miał jak sowa,
będę norkę miał jak chomik,
będę miał swój własny domek!
Będę domek miał malutki
i cieplutki, i mięciutki...

Jak tu ciemno!
Jak tu fajnie!
Śpię...

Spis treści